Наталья Павлова

АЗБУКА
с крупными буквами

Москва

УДК 373.2
ББК 81.2Рус-9
П 12

Павлова Н. Н.

П 12 Азбука с крупными буквами / Наталья Павлова ; ил. А. Кардашука. – М. : Эксмо, 2015. – 88 с.

УДК 373.2
ББК 81.2Рус-9

Пособие для развивающего обучения
дамыту біліміне арналған баспа

Для чтения взрослыми детям
ересек балалардың оқуына арналған

Наталья Павлова

АЗБУКА С КРУПНЫМИ БУКВАМИ
(орыс тілінде)

Художник *Александр Кардашук*

Ответственный редактор *В. Карпова*. Руководитель проекта *О. Хинн*
Ведущий редактор *Н. Тегипко*. Художественный редактор *И. Сауков*
Компьютерная верстка *А. Кучерова*. Корректоры *Л. Доценко, Н. Сгибнева*

Рисунок на обложке: *В. Куров*

ОЛИСС
107564, Москва, ул. Краснобогатырская, д. 2, стр. 2.

ООО «Издательство «Эксмо»
123308, Москва, ул. Зорге, д. 1. Тел. 8 (495) 411-68-86, 8 (495) 956-39-21.
Home page: **www.eksmo.ru** E-mail: **info@eksmo.ru**

Өндіруші: «ЭКСМО» АҚБ Баспасы, 123308, Мәскеу, Ресей, Зорге көшесі, 1 үй.
Тел. 8 (495) 411-68-86, 8 (495) 956-39-21
Home page: www.eksmo.ru E-mail: info@eksmo.ru.
Тауар белгісі: «Эксмо»
Қазақстан Республикасында дистрибьютор және өнім бойынша
арыз-талаптарды қабылдаушының
өкілі «РДЦ-Алматы» ЖШС, Алматы қ., Домбровский көш., 3«а», литер Б, офис 1.
Тел.: 8 (727) 2 51 59 89,90,91,92, факс: 8 (727) 251 58 12 вн. 107; E-mail: RDC-Almaty@eksmo.kz
Өнімнің жарамдылық мерзімі шектелмеген.
Сертификация туралы ақпарат сайтта: www.eksmo.ru/certification

Сведения о подтверждении соответствия издания согласно законодательству РФ
о техническом регулировании можно получить по адресу: http://eksmo.ru/certification/

Өндірген мемлекет: Ресей
Сертификация қарастырылған

Подписано в печать 07.09.2015. Формат 60х84$^1/_8$.
Печать офсетная. Усл. печ. л. 10,27.
Доп. тираж 8000 экз. Заказ № ВЗК-03848-15.

Отпечатано в АО «Первая Образцовая типография»,
филиал «Дом печати — ВЯТКА».
610033, г. Киров, ул. Московская, 122.

ISBN 978-5-699-59593-8

ISBN 978-5-699-59593-8

0+

Уважаемые взрослые!

1 сентября... Цветы, улыбки, счастливые лица детей, с интересом и надеждой вступающих в неизведанную школьную жизнь... Конечно, вам, уважаемые родители, бабушки и дедушки, очень хотелось бы, чтобы это праздничное настроение не омрачалось трудностями обучения, а школьные годы принесли только радость. Будьте предусмотрительны: позаботьтесь о будущем вашего малыша сейчас, когда у вас есть возможность подготовить его к увлекательному, но непростому делу — обучению грамоте.

«Азбука» предназначена для 5—7-летних детей. Её можно использовать как пособие для обучения дошкольников, так и в качестве дополнительного материала для чтения в 1-м классе. Главная задача книги — обучить ребёнка правильному, плавному чтению. Занимаясь по книге, малыш не только научится соединять буквы в слоги, а слоги в слова, но и почувствует красоту и разнообразие родного языка, обогатит словарный запас, разовьёт речевой слух. Это очень пригодится в школе — на уроках чтения и письма. Обучение по книге будет более эффективным, если вы одновременно начнёте заниматься с малышом по книге Н. Павловой «Пишем вместе с азбукой».

Перед тем как начать заниматься с ребёнком, рассмотрите вместе с ним книгу, обратите внимание на иллюстрации, игровые задания. Расскажите, что на страницах книги малыша встретит забавный помощник — ёжик, который тоже учится читать. Старайтесь проводить занятия в игровой форме. Используйте жизненный опыт, наблюдения и впечатления ребёнка. Время каждого занятия не должно превышать 20 минут. Помните, что для ребёнка естественны некоторые трудности при овладении навыком чтения и ваша задача — помочь преодолеть их. Будьте терпеливы и доброжелательны, воспользуйтесь нашими рекомендациями — и очень скоро маленький ученик порадует вас своими успехами.

Первые страницы «Азбуки» очень важны для обучения ребёнка чтению (а в дальнейшем — письму), хотя вы не увидите здесь ни букв, ни слогов, ни слов. Занимаясь по этой части книги, необходимо научить ребёнка:
• называть и различать слова;
• различать на слух слова в предложении;
• составлять предложения;
• делить слова на слоги;
• выделять звук из слога и слова;
• находить ударные слог и звук в слове;
• самому составлять схему предложения, звуковую схему слова.

Очень важно научить малыша произносить слова чётко, ясно, не очень быстро. Пусть ваша речь служит в этом примером.

Познакомьтесь с обозначениями (схемами), которые вы встретите в «Азбуке»:

• слово (например, *очки*) ☐ ;

• первое слово в предложении ☐ ;

• предложение из трёх слов *(Мальчик ловит рыбу.)* ☐ ☐ ☐ . ;

• слово, состоящее из двух слогов (например, *го-рох*) ☐ ;

• слово, состоящее из трёх слогов, ударение падает на третий слог (например, *ка-ран-да́ш*) ☐ ;

• слово, состоящее из трёх звуков (например, *дом*) ▫▫▫ ;

• слово, состоящее из четырёх звуков, двух слогов. В первом слоге два звука, во втором слоге два звука, ударение падает на второй слог (например, *па-у́к*) ▫▫▫▫ .

В дальнейшем к этим схемам добавятся следующие:

• гласный звук ◼ ;   • согласный твёрдый звук ◼ ;   • согласный мягкий звук ◼ .

Например, при изучении буквы **а** звук [а] произносится более громко и протяжно, чем остальные звуки в слове *(а-а-аист)*, и обозначается на схеме квадратом красного цвета.

Далее мы посоветуем вам, как проводить некоторые занятия. Следуя этим рекомендациям, занимайтесь с малышом творчески, поощряйте его фантазию и активность.

Страница 6. Слово.
Рассмотрите с ребёнком рисунки в верхнем ряду и спросите:
— Что здесь нарисовано? *(Дом, гриб, телефон.)*
— Всё, что ты произнёс, — **слова**. *Дом* — это слово, *гриб* — это тоже слово. Мы будем обозначать (записывать) каждое слово схемой-прямоугольником. Схемы записаны под рисунками. Найди и покажи схему слова *велосипед*, покажи схему слова *карандаши*. Догадайся, что можно было нарисовать там, где есть схемы, а вместо рисунков — вопросительный знак.
— Назови, что нарисовано в нижней части страницы. *(Подъёмный кран, стиральная машина.)* Покажи схему каждого слова. Обрати внимание: мы называем одну вещь, а произносим два слова.

Страница 7. Предложение.

– Что ты видишь на нижнем рисунке? Расскажи.

– Что делает мальчик? *(Мальчик ловит рыбу.)* Это **предложение. Предложение состоит из слов.**

– Назови первое слово в предложении. *(Мальчик.)*

– Покажи его на схеме. Назови второе, третье слово, покажи их схемы.

– Сколько слов в этом предложении? *(Три.)* Первое слово в предложении всегда обозначается прямоугольником с длинной линией слева, в конце предложения ставится точка. Найди и покажи ещё раз схему слова *ловит,* схему слова *рыбу.*

Таким образом нужно работать с каждой схемой предложения и на других страницах.

Страницы 8–9. Учимся составлять предложения по рисункам.

Вместе с ребёнком рассмотрите рисунки. Пусть малыш расскажет, что происходит в природе в каждое время года. Если ему будет трудно сделать это самостоятельно, задайте наводящие вопросы. В конце занятия попросите маленького ученика ещё раз назвать времена года по порядку и ответить на вопросы:

Какое время года наступает после лета? Какое время года бывает перед весной? Вспомни и назови летние месяцы и т. д. Предлагаем вам для образца варианты текстов по каждой теме.

Зима. Погода холодная, морозная. Земля, деревья, дома покрыты снегом. Реки и пруды замёрзли. Звери прячутся в норах. Зимой птицам трудно находить корм. Люди надевают шубы, тёплые шапки, варежки.

Весна. Ярко светит солнце. Стало тепло, лёд и снег тают. На земле появляется первая трава, а на деревьях — листочки. Перелётные птицы возвращаются с юга. Весной птицы строят гнёзда. Люди работают в полях, в огородах.

Лето. Погода летом тёплая, иногда жаркая. В лесу, на лугах много душистых цветов. Птицы выводят птенцов, учат их летать. Люди купаются, загорают, собирают ягоды, грибы.

Осень. Становится прохладнее. Часто идут дожди. Трава желтеет и вянет. Листья на деревьях меняют цвет: становятся жёлтыми, красными. Перелётные птицы улетают в тёплые края. Животные готовят себе зимние жилища. Люди надевают плащи, куртки, сапоги.

Страница 9. Слог.

Рассмотрите рисунок, поработайте со схемами предложений, как указано ранее. Затем рассмотрите рисунки овощей, попросите ребёнка назвать их.

Что нарисовано слева? *(Горох.)* Послушай, как я произнесу это слово: *го-рох.* Сколько частей в слове ты услышал? *(Две.)* Скажи это слово так же, хлопая в ладоши, когда произносишь каждую часть. Эти части называют слогами. В слове *горох* два слога. Схема слова делится на две части линией. Покажи на схеме слог *го-,* слог *-рох.*

Затем ребёнок определяет, сколько слогов в словах *помидор, лук, капуста.* Обратите внимание ребёнка на то, что слово *лук* не делится на части, в нём один слог.

Страница 11. Ударение.

В начале занятия составьте предложения по схемам. Затем попросите ребёнка назвать птиц, нарисованных ниже.

– Посмотри на рисунок слева. Кто на нём? *(Голубь.)*

– Скажи слово ещё раз; сосчитай, сколько в нём слогов. *(Два слога.)*

– Теперь послушай, как я скажу это слово — *го-о-лубь.* Какой слог произносится более сильно, протяжно? *(Слог го-,* первый слог).

– Слог, который произносится **с большей силой голоса, протяжнее,** чем другие, называется **ударным.** Можно сказать по-другому: на этот слог падает ударение. В слове *голубь* ударение падает на первый слог. Это показано на схеме короткой наклонной чёрточкой над первым слогом.

Теперь назови следующее слово. *(Снегирь.)* Определи, на какой слог падает ударение. Для этого произнеси слово ещё раз, выделяя голосом один слог. Покажи знак ударения на схеме.

Так же работайте с остальными словами.

Страница 13. Звуки.

После составления рассказа по рисунку (вверху страницы) поучимся выделять звуки в слове. Помните, что выделять звуки нужно, последовательно протягивая гласные или «подчёркивая» силой голоса каждый согласный звук в слове. Выделим звуки в слове *мак.*

– Повтори за мной слово *мак* как можно медленнее *(м-м-а-а-а-к-к-к).*

– Какой звук слышен в начале слова? Назови. *([м])*

– Найди звук [м] на схеме.

– Какой звук ты слышишь после звука [м]? *(М-а-а-а-к.)*

– Какой последний звук в слове *мак? (Звук [к].)*

– Покажи на схеме квадраты, обозначающие звуки [м], [к], [а].

Так же выделяйте звуки в других словах.

Страница 15. Повторение пройденного.
Страницы 16–85.

Этот период самый ответственный в обучении грамоте. Ребёнок должен:

• выучить названия букв;

• запомнить, какие звуки обозначает каждая буква,

• усвоить понятия «гласный звук», «твёрдый согласный звук», «мягкий согласный звук».

• усвоить приём чтения по слогам.

При изучении каждой новой буквы надо соблюдать такую последовательность:

1. Рассмотреть рисунок (в верхней части страницы), произнести слово, обозначающее изображённый предмет.

2. Сосчитать количество звуков и слогов в слове. Найти ударный слог.

3. Назвать первый звук в слове. (При изучении букв **ы, ь, й** — последний звук. При изучении букв **е, ё, я, ю** — первые два звука.)

4. Рассмотреть печатную букву, соотнести её с выделенным звуком.

5. Прочитать слоги с новой буквой. Придумать слова, содержащие прочитанные слоги.

6. Прочитать слова в столбиках.

7. Прочитать предложения (тексты).

Занимаясь с малышом, нужно помнить следующее. **Буква и звук** — не одно и то же. **Буква** — это знак, изображение звука. Объясните ребёнку, что **звуки** мы слышим и произносим, а **буквы** — пишем и читаем. Название буквы не всегда соответствует звуку (буква — «ша», звук — [ш]). Одна и та же буква может обозначать разные звуки (например, буква «эс» в словах *сок, сел* обозначает звуки [с], [сь]). Некоторые буквы (**е, я, ё, ю**) в начале слова, после гласных и после **ь** и **ъ** обозначают два звука. Например, в слове *енот* буква **е** обозначает два звука — [й] [э] — ([й] [э] [н] [о] [т]), в слове *моя* ([м] [о] [й] [а]) буква **я** тоже обозначает два звука — [й] [а] и т. д.

В слогах-слияниях (согласный + гласный, например *ми, зе*) буквы **е, я, ё, и, ю** обозначают мягкость предшествующих согласных. Например, в слове *липа* первый согласный звук — мягкий ([ль] [и] [п] [а]).

Чтение слогов-слияний (например, *на*) часто вызывает трудности при обучении грамоте. Нужно с самого начала стремиться к тому, чтобы **единицей чтения сделать слог,** а не букву. Такой способ обеспечивает плавность и правильность чтения. Чтобы ребёнок правильно прочитал слог-слияние, ему нужно вспомнить первую букву, затем вторую и назвать слог [на] сразу, не делая паузы между звуками, не называя буквы отдельно. Постоянно напоминайте: «Посмотри на две буквы и читай сразу слог». Для закрепления пройденного чаще читайте слоги-слияния с изученными ранее буквами.

Чтобы ребёнку было легче учиться читать, многие слова в «Азбуке» разделены дефисом на единицы чтения, например *Ни-на.*

Для примера рассмотрим фрагменты занятий, на которых дети знакомятся с новыми буквами.

Страница 16. Знакомство с буквой А. Гласные и согласные звуки.

— Кто нарисован в верхнем углу страницы? *(Аист.)* Сколько слогов в слове? *(Два.)* Какой слог ударный? *(Ударение падает на первый слог.)*

— Сколько звуков в слове *аист?* *(Четыре.)*

— Посмотри на схему слова. Квадратик, который обозначает первый звук, цветной. Значит, первый звук мы должны произнести ещё раз, громко, протяжно. Произнеси первый звук. Этот звук записывается буквой **а**. Посмотри, здесь записаны две буквы: одна большая, заглавная, рядом — маленькая буква **а**. Произнеси звук [а] ещё раз. Этот звук легко тянуть, «петь»: *а-а-а*. Если при произнесении звука воздух свободно выходит изо рта, нам не мешают зубы, губы, язык, если звук удобно петь, то такой звук называется **гласным.**

— Как ты думаешь, звук [и] — гласный? *(Да.)*

— Подумай и назови гласные звуки. Запомни звуки: [а-а-а], [о-о-о], [у-у-у], [и-и-и], [э-э-э], [ы-ы-ы] — гласные. Теперь на схемах гласные звуки будут обозначаться красными квадратами.

Назови последний звук в слове *аист* ([т]). Звук [т] — гласный? *(Нет, его неудобно «петь».)* Верно. Это **согласный** звук. Назови другие согласные звуки.

Согласные звуки будут пока обозначены на схеме белыми квадратами.

Страница 22. Знакомство с буквой Н. Мягкие и твёрдые согласные звуки.

— Кто нарисован в верхней части страницы? *(Носорог.)* (Проводится анализ слова *носорог*: ребёнок определяет, сколько в нём слогов, какой слог ударный.)

— Назови первый звук в слове *носорог* ([н]).

— Звук [н] гласный или согласный? *(Это согласный звук.)*

— Произнеси слово *конь.* (Ребёнок произносит.)

— Какой последний звук в слове? *([нь])*

— Звук [нь] гласный или согласный? *(Это согласный звук.)* Правильно. Звуки [н], [нь] — согласные.

Согласный звук [н] — **твёрдый,** а звук [нь] — **мягкий.** Твёрдые согласные звуки теперь будем обозначать на схеме синими квадратиками, а мягкие согласные звуки — зелёными.

Аналогично страницам 16 и 22 изучаются остальные буквы.

Когда Ваш ребёнок перевернёт последнюю страницу «Азбуки», перед вами встанет новая проблема: что читать дальше? Советуем приобрести новую книгу Натальи Павловой «Читаем после «Азбуки». В этой уникальной книге дан материал для упражнения в чтении небольших текстов. А главное, там много игр и увлекательных обучающих заданий. Стихи, рассказы и задания написаны специально с учётом требований к обучению ребёнка быстрому, плавному чтению целыми словами. Вы не встретите этих произведений в других книгах, и поэтому вашему малышу интересно будет их читать. Обучая ребёнка в этот период, надо продолжать развивать его речь путём бесед по иллюстрациям, пополнять запас слов, учить передавать содержание прочитанного. Полезно заучивать стихотворения и упражняться в их чётком, выразительном чтении наизусть.

Желаем успехов!

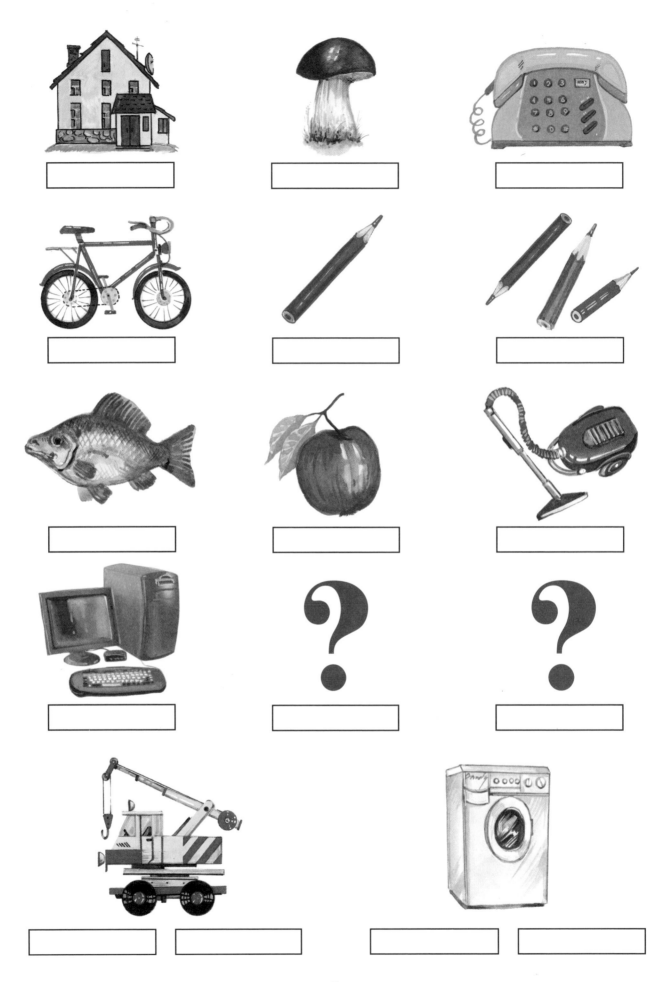

Что ты видишь на рисунках?

Назови предмет и его цвет (например, *розовый бант).

Покажи каждое слово на схеме.

Назови времена года. Расскажи, что происходит зимой, весной, летом, осенью.

Посмотри на схему и догадайся, что лежит в корзине — репка или огурец?

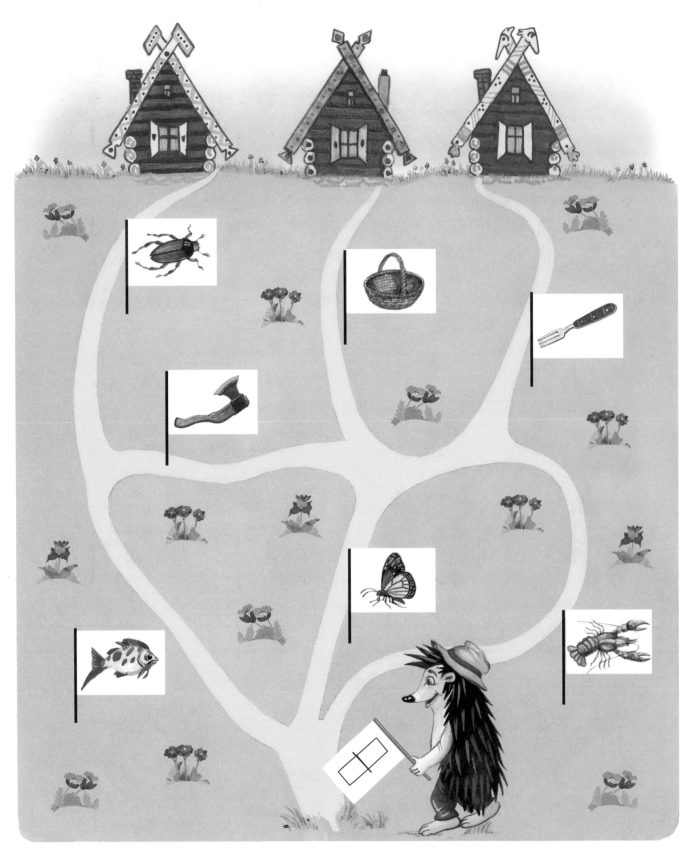

Зайчик пригласил ёжика в гости. Чтобы выбрать нужную дорогу, ёжик должен называть предметы, нарисованные на флажках.

Если в слове два слога, то нужно идти по этой дорожке. Помоги ёжику найти дом зайчика.

Над дуплом должно быть написано, кто в нём живёт.
Помоги хозяйке дупла — выбери надпись-схему со словом *белка*.

Назови предметы. Подбери схему к каждому слову.

В этой коробке лежит игрушка, которую подарили девочке на день рождения. Догадайся, что там — мяч или кукла. Тебе поможет надпись-схема.

13

Расскажи, что перепутал художник.

Угадай, в каком домике живёт жук, а в каком — паук. Тебе помогут надписи-схемы на домиках.

Помоги ёжику собрать все яблоки. Для этого выполни задания, написанные на них.

Аа

—А-а-а!

Придумай имя для девочки. Тебе поможет первая буква в надписи-схеме.

Девочка хочет поставить в вазу цветок. Его название начинается с буквы, которая написана на вазе. Какой это будет цветок?

Ёжик должен идти только мимо тех предметов, в названии которых есть звук [а]. Пройди путь вместе с ёжиком, и ты узнаешь, к кому он спешит в гости.

Оо

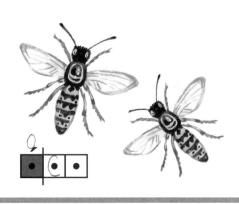

— О-о-о!

ОВОЩИ   ОБУВЬ

Назови одним словом изображённые предметы.

Ии

и .

и .

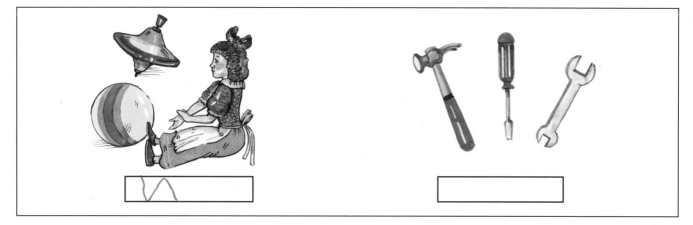

Назови одним словом изображённые предметы.

19

ы

| • | • | • | ó́ |

| • | ó́ | • | • | а |

| • | ó́ | • | • | ы |

20

Уу

— У-у-у!   — Ау! Ау! Ау!

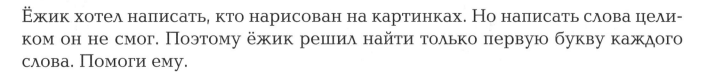

Ёжик хотел написать, кто нарисован на картинках. Но написать слова целиком он не смог. Поэтому ёжик решил найти только первую букву каждого слова. Помоги ему.

Нн

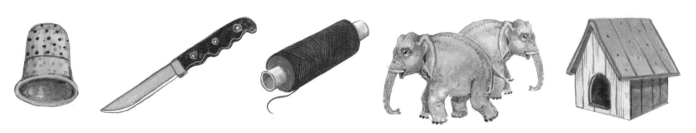

на	но	ни	ны	ну

он   о-ни́   Но́н-на

о-на́   Ни́-на   И́н-на

У Нины  .

У Ани  .

У На́ны  .

22

Сс

са	со	си	сы	су

сон	о-са́	са́-ни
сын	у-сы́	но-си́
нос	о́-сы	о-си́-на

У Сони сани.

23

На, носи!

У сос-ны́ .   У о-си́-ны  .

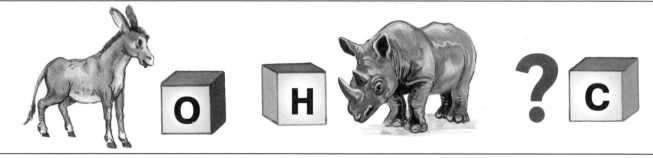

Рядом с осликом — кубик с буквой **О**. Рядом с носорогом — кубик с буквой **Н**. Догадайся почему. Кто может быть около кубика с буквой **С**?

Кк

ка   **ко**   **ку**   **ки**

сок	кó-ни	но-сóк
ко-сá	ок-нó	ку-сóк
ки-нó	сы-нóк	кúс-ка

У Нины коса.

А у Сани?

25

– На косу. Коси осоку!

сы
ку
ко
но
су
са

Прочитай слоги. Найди нужный рисунок для каждого слога.

Тт

та	то	ти	ты	ту

кот но́-ты ка-то́к

тут ки-ты́ ни́т-ка

тот си́-то Ни-ки́-та

Тут кот.

А тут?

– Ты кто?
– А ты?

Кто?

На-та
Ан-тон
Ан-на
Ни-ки-та
Ста-сик
Ин-на

Лл

ла	ло	ли	лы	лу

ло-то́   лук   са-ла́т

ли-са́   лист   То́-лик

Ли́-на   слон   ку́к-ла

Толик искал Никиту.
— Ты тут, Никитка?
А он у окна.

Нина ус-ну-ла.
Она ус-та-ла.

У Лили кукла Лина.
У Кати кукла Лика.

У Л К А

Покажи дорогу домой каждому животному.

Рр

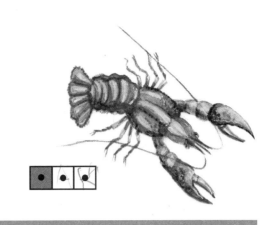

ра	ро	ри	ры	ру

сыр	ру-ка́	и́-рис
рис	ро-са́	крот
рак	но-ра́	кран

У Риты росли и́рисы.
А у Тараса – лук.

31

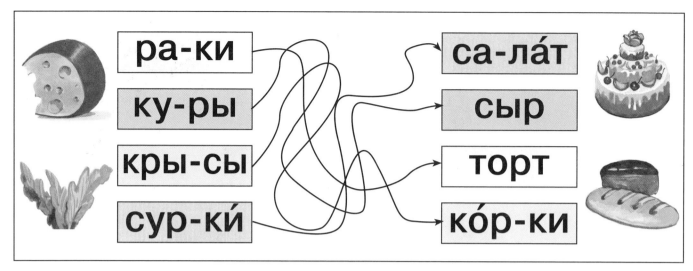

ра-ки   са-ла́т

ку-ры   сыр

кры-сы   торт

сур-ки́   ко́р-ки

Что ели эти животные в гостях у ёжика? Прочитай слова слева; посмотри, куда указывают стрелки.

У лисы нора.
А у аиста?

Л   Р

На каждом домике написана буква. С этой буквы начинается название того животного, которое живёт в домике. Угадай, кто где живёт.

Вв

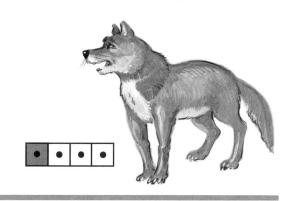

ва   во   ви   вы   ву

Ви́-ка	ло-ви́л	во-ро́-та
ва́-та	ви́л-ка	ко-ро́-ва
со-ва́	сли́-ва	во-ро́-на

Вот так трава!
Высока и красива.
Иван косит траву.
У Вани коса.
И коровы тут как тут.

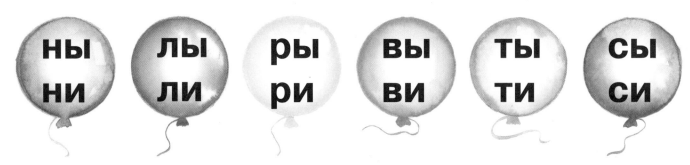

Ну и тыква! Красива и вкусна.
Вика и Слава вырастили сливы.
А вот лук и салат. Как вкусно!

Какие кубики нужно поставить ёжику, чтобы получились слова?

Ее

é-ли   éс-ли   вы-со́-ки-е
е-но́т   ро́-ет   кра-си́-вы-е

Около ели енот.
Енот ест .

Кто?

воет
лает
ка́р-ка-ет

не   ле   ре   ве   ке   те   се

7

Ле́-на	ве́т-ка	ве́-тер
се́-но	те́с-то	се́т-ка
ре-ка́	ле́н-та	ка́-тер

Вот и лето. Около леса река.
Ива свесила в реку свои ветки.
Тут Вова. Он ловит раков.
Вот так рак – великан!

П п

па	по	пи	пы	пу	пе

па́-па   ре́-па   пе́с-ни
пе-ро́   пи-ла́   Па́-вел

У Павла ноты.
Полина пела песни.

37

Плот-ник пилит.
Повар варит.
А пилот?

У о-син-ки три тро-пин-ки.
Налево – в поле. На-пра-во – в село́.
А вот тропа к реке.

Помоги утке найти дорогу к речке.

Вике купили краски.
А Славе – кепку.
– Купи пластилин! –
просит папу Слава.

Славик лепит павлина.
Вика рисует пони.
Как красиво!

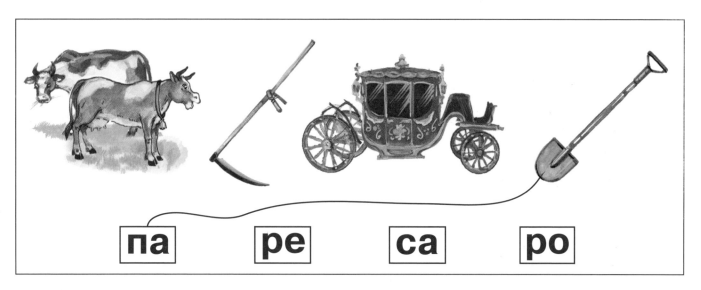

па	ре	са	ро

Рассмотри предметы, изображённые на рисунках, назови слова. Прочитай слоги, догадайся, в каких словах они спрятались.

Мм

ма   мо   ми   мы   му   ме

ма́-ма	мы́-ло	ме́с-то
му-ка́	ми́с-ка	мы́с-ли

Мама купила молоко и масло.
Мы налили в миску молока.
Мурка попила́ и уснула.

Максим и Марина компот варили.
Марата и Милу компотом поили.

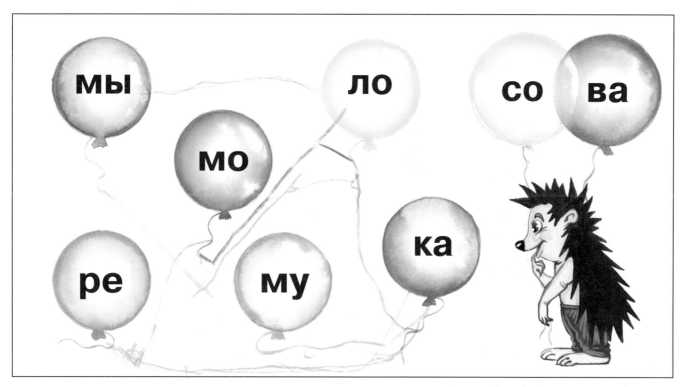

мы   ло   со   ва
мо
ка
ре   му

Свяжи шарики так, чтобы из слогов, написанных на них, получились слова.
Два шарика уже связаны. Прочитай слово, которое получилось.

41

Зз

за	зо	зи	зы	зу	зе

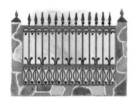     

Зи́-на   зи-ма́   за-но́-за

ко-за́   у́-зел   кор-зи́-на

На столе ваза.
В вазе розы.
Розы крас-ны-е
и ро-зо-вы-е.

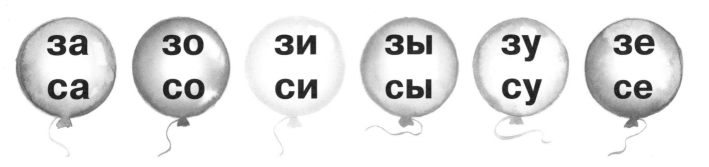

за
са

зо
со

зи
си

зы
сы

зу
су

зе
се

мо-ро́з   зве́-ри   ска́з-ки
зва́-ли   у-зо́-ры   за́-мок

В театре.

Зве-нит зво-нок. И вот мы в за-ле. От-кры-ли за́-на-вес. Нам по-ка-за-ли сказ-ку «Мо-ро́з-ко».

Зина по-зва-ла́ Лизу.
– Смо-три! Мороз на-ри-со-вал узоры на окне.

После осени – зима.
После зимы – весна.
А после весны?

ба　　бо　　би　　бы　　бу　　бе

бу́-сы　　бе́л-ка　　бра́-ли
бо-бы́　　ку́-бик　　стол-бы́

Кто　быст-ре-е?

Ела белка булку, ел баран баранку.

Прочитай скороговорку и повтори её как можно быстрее.

45

Молоток, пила, топор –
ин-стру-ме́н-ты.
Бубен, труба, барабан – [   ].

На озере.

Борис мас-те-рил ко-раб-лик
с белыми парусами.

Кораблик быст-ро по-плыл
по озеру.

46

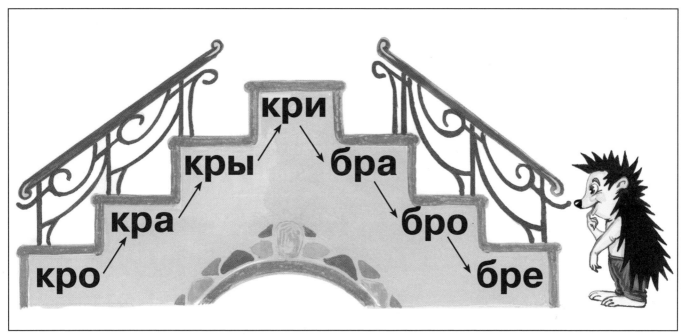

Поднимись и спустись по ступенькам, читая слоги. Ёжик вручит тебе приз.

У Марата кубики с буквами. Он собрал слова.

Какое слово можно сложить из оставшихся кубиков?

Дд

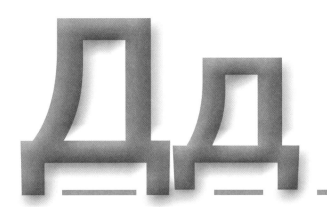

да   **до**   **ди**   **ды**   **ду**   **де**

дом   де́-ти   по-ду́л

дым   ды́-ни   ди-ва́н

Кто быстрее?
Дима дарит Дине дыни.

Данила увидел
на дереве дупло.
– Там бе́лка, –
сказал садовник.

Дима и Денис сидели в саду.
Подул ветер. Стало темно.
На траву упали капли.
– Дети, скорее в дом!

Яя

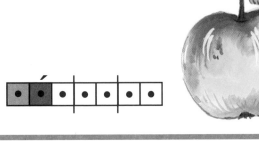

Я́-на   я-зы́к   я́р-мар-ка
Я́-ков   я́м-ка   я́б-ло-ко
Ра́-я   мо-я́   я́б-ло-ни

Яков и Зоя строят дом из песка.
А около дома ямка. Тут будет пруд.

ма	ла	да	та	ба
мя	ля	дя	тя	бя

мо-ря́	по-ля́	у-тя́-та
мо-ря́к	ря́-дом	ре-бя́-та

Дядя Петя – моряк. Он рас-ска-зал нам про океаны, корабли и якоря.

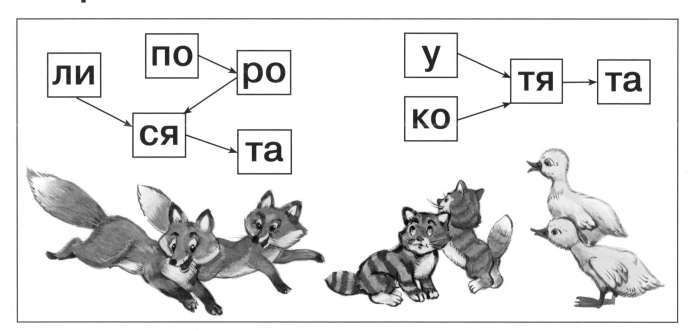

Прочитай слова. Рассмотри рисунки. Кого забыл нарисовать художник?

Саня и Оля были на яр-мар-ке.
Ребята купили яблоки. Они ярко-
красные.

Кто спря-тал-ся в доме?

Вася **Катя**

Толя **Ваня**

га   го   ги   гу   ге

го-ра́   га-зе́-та   гво́з-ди
но-га́   го́-лу-би   гнез-до́
гу́-си   иг-ра́-ли   вдруг

В саду растут яблоки и .
В о-го-ро-де растут
по-ми-до-ры и .

 га / ка    го / ко    ги / ки    гу / ку    ге / ке

От-гре-ме-ла гроза.
На небе – радуга.

Кто быстрее?
На горе – город,
у горы – огород.

Гуси-лебеди

Гном

Баба-Яга

Кто где живёт?

Кто где зимует?
В берлоге – ⬜.
В дупле – ⬜.

На про-гул-ке.

Галя и Гена гуляли в парке. Там много снега. Дети лепили снеговика. На голове у него – ведро. А вместо носа – морковка.

Чч

ча	чо	чу	чи	че

ча-сы́   ча́с-то   чу-де-са́
чу́-до   вче-ра́   де́-воч-ка
оч-ки́   ре́ч-ка   че-ты́-ре

Мама часто чи-тает мне книги. Вчера она про-чи-та-ла сказку про Сне-гу-роч-ку.

Сне-гу-роч-ка – девочка из снега. Что за чудеса!

чи́с-то	пти́ч-ка	бе́-лоч-ка
чи́с-ти-ла	си-ни́ч-ка	у́-точ-ка

У Лены много дел. Сначала она по-чис-ти-ла свои бо-ти-ноч-ки. По-том подмела пол. А после читала «Азбуку». Не скучает Леночка!

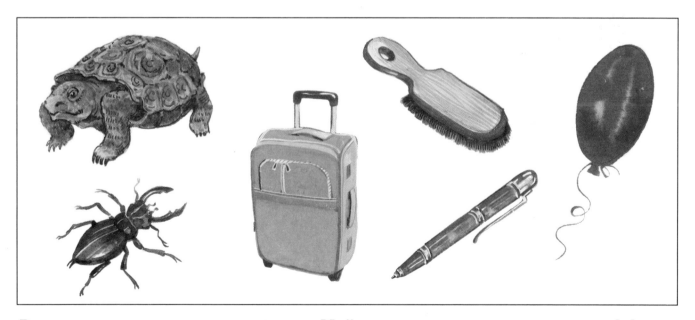

Рассмотри рисунки, назови слова. Найди слова, в которых есть звук [ч].

Ь

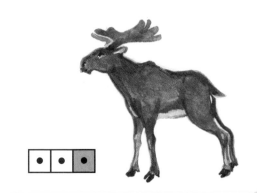

нь сь ть ль рь пь мь зь бь нь дь

соль	пень	гвоздь
рысь	гусь	дверь
ночь	лось	го́-лубь

Устал Егор, сел под ель.
Он ел спелые ягоды.
– Как много здесь ягод! Завтра приду опять.

ко́-ни	кор-ми́	нра́-вил-ся
конь	кор-ми́ть	нра́-ви-лось

Летом Игорь гостил в деревне. Там есть конь Сокóлик. Мальчику очень нравилось кормить Сокóлика.

У дороги пень.
Мы сели
на пеньки.

| ни нь | се сь | ти ть | ве вь | зи зь |

паль-то́	конь-ки́	ва-силь-ки́
пись-мо́	день-ки́	ка́-пель-ки
то́ль-ко	де́нь-ги	сту-пе́нь-ки

Ольга и Ваня взяли коньки. И вот они на катке. Тут ярко горят огоньки. Играет музыка.

Весело скользить по льду!

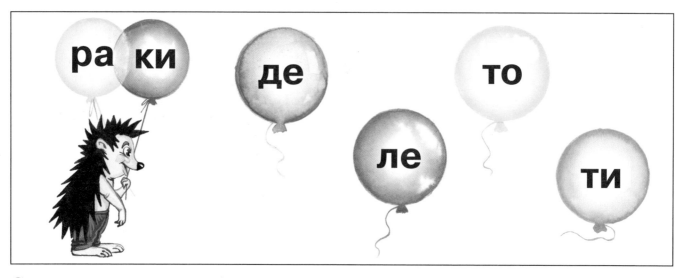

Свяжи шарики так, чтобы из слогов, написанных на них, получились слова.

Шш

ша	шо	шу	ши	ше

шар	ма-ши́-на	шур-ши́т
шум	ма-лы-ши́	спе-ши́т
шаг	ше́-лест	шмель

Мы на-у-чи-лись считать: один, два, три, четыре, пять, шесть...
А дальше как?

Мышка мышонку
Шептала на ушко:
– Спи. Испеку тебе
Завтра ватрушку.

Маша и бабушка пошли в лес. Славно летом в лесу!

Под орешником – душистые ландыши.

– Не рви, Маша, – говорит бабушка. – Пусть растут здесь.

Какое слово лишнее?

Шапка, шорты, рубашка, пальто.

ши́ш-ка   ти-ши-на́   шур-ши́т

ка-мы-ши́   слы́ш-но   за-шур-ша́-ла

За-шур-ша-ла листва рябины. Ель уронила шишку.

– Ш-ш-ш, не шумите, – зашепта́ли камыши. – Тишины не слышно.

Жж

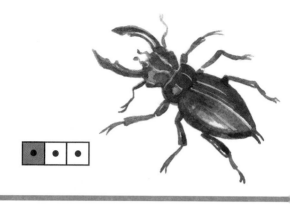

| жа | жо | жу | жи | же |

жар   Жé-ня   дóж-дик
жук   жá-ба   до-рóж-ка
жил   жú-ли   под-жи-дáл

После дождя у дорожки лужа.
У лужи сидит жаба.
Она поджидает мошек и жуков.

Прямо у опушки
Выросли волнушки.
И теперь волнушки
Ждут зимы в кадушке.

| жа ша | жо шо | жи ши | жу шу |

Лошадь, кошка – до-маш-ни-е жи-вот-ны-е.

Медведь, волк – дикие животные. А белка?

Жили-были старик, старушка и внучка Машенька. Раз пошла Маша в лес и за-блу-ди-лась...

Ты можешь про-дол-жить сказку?

На зав-трак у ежа груши. А на ужин – е-же-ви-ка.

Ч		
Ж	ка☐а мя☐	по☐ар
Ш	ко☐ка ☐ук	ме☐ ☐ар

Вставь в «окошки» нужные буквы.

Ёё

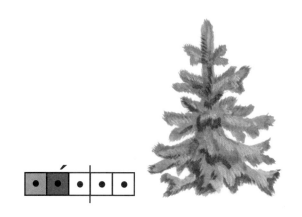

| ёл-ка | ёж | мо-ё |
| ё-лоч-ка | ё-жик | тво-ё |

Возле ёлки ёж с енотом
Из норы достали ноты.
Ди-ри-жи́-ру-ет енот.
Ёжик песенки поёт.

нё лё рё мё вё бё дё тё

не-сёт	А-лё-ша	кос-тёр
ве-дёт	А-лё-на	са-мо-лёт
ве-зёт	Стё-па	сёст-ры

У козы – коз-лё-нок.

У лошади – же-ре-бё-нок.

У о-веч-ки – яг-нё-нок.

У свинки – по-ро-сё-нок.

У коровы – телёнок.

Загадка.
Колется, да не ёж.
Кто же он?   ...

У Серёжи живёт котёнок Буська. Лапки у него тёмные, спинка белая. Глаза у Буськи зелёные.

Серёжин пёс Шарик дружит с котёнком.

Ёлка всегда зелёная.
А берёза?

Йй

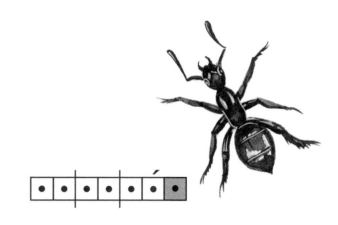

чай	клей	ге-ро́й
май	твой	ру-че́й
пой	знай	му-ра-ве́й

Под сосной чу-дес-ный дом. Он как гора из иго-лок ёлки.

К дому ползёт муравей. Он несёт тра-ви́н-ку.

Для него травинка – как для нас брев-но.

Ну и герой!

МАЙ
ГАЙ
ЧАЙ — КА
ЛАЙ
ЗАЙ

70

Про-чи-тай слова. До-га-дай-ся, чей дом на рисунке.

му-ра-ве́й
во-ро-бе́й
пче-ла́
по-пу-га́й

у́-лей

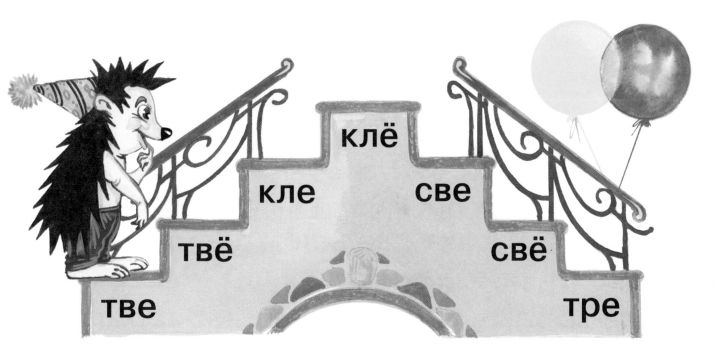

клё
кле   све
твё   свё
тве   тре

Xx

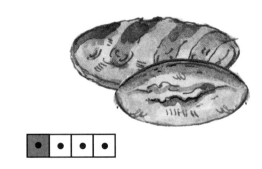

ха	хо	ху	хи	хе

хор	ха-ла́т	хи́т-рый
мох	хо-мя́к	хра́б-рый
пух	пе-ту́х	хвас-ту́н

Сел петух на забор и хва́лится:

– Я – самый храбрый!

– Я – самый хитрый!

Тут во двор вбежал пёс Барбос.

Петух от страха свалился прямо в кусты.

– Хи-хи-хи, – хихи́кали куры.

– Ха-ха-ха, – хохота́ли гуси. – Вот хвастун!

Ю ю

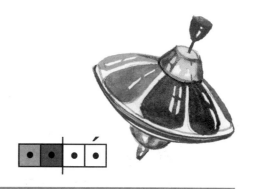

| Ю́-ра | ю́б-ка | и-ю́нь |
| Ю́-ля | ю́н-га | и-ю́ль |

В июне Юра и Юля жили в деревне.

А в июле они поедут на юг.

лю   мю   рю   сю   тю   зю

| лю́-ди | у-тю́г | тюль-па́н |
| Лю́-ба | и-зю́м | крю-чо́к |

Я взял пилу.
Я пилю до́ску.

73

Откуда хлеб пришёл.

Сначала землю пашут. Потом в неё бросают зёрна.

Из них вырастают колоски́. В каждом ко́лосе много новых зёрен.

Колоски жнут
и об-мо-ла-чи-ва-ют –
вы-тря-хи-ва-ют
из них зёрнышки.

Зерно везут на мельницу. Там его растирают в муку.

Муку отвозят в пекарню. В ней пекут булочки, буханки, батоны.

Хлеб готов. Его везут в магазины. Покупайте и кушайте!

Цц

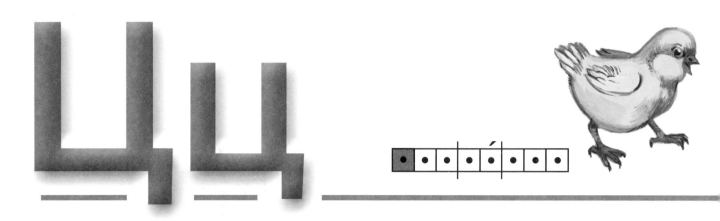

ца цо цу цы це ци

ли-цо́ цирк мо-ло-де́ц
ов-ца́ цепь у́м-ни-ца

Цыплёнок вышел погулять на улицу. У крыльца растут цветы. А на грядках – огурцы и перец. Увидел цыплёнок гу́-се-ни-цу – и цап её!

– Ну умница, ну молодец! – хвалит мама-курица.

Я живу в Москве.

Москва – столица России. В моём городе красивые улицы, парки, бульвары.

В Москве много музеев и театров.

Егор живёт в городе Смоленске.

Вика живёт в посёлке Мирный.

Гриша живёт в деревне Сосновка.

А где живёшь ты? Как называется твоя улица?

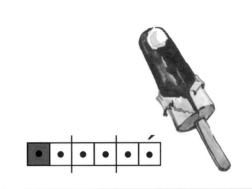

э́-то   Э́-дик   э-та-жи́

э́-тот   Э-ли́-на   эс-ки-мо́

Эхо.

В горах можно услышать эхо. Если ты крикнешь, то эхо ответит. Правда, оно лишь повторит конец слова. Поиграй с ним!

носо́к – сок   пара́д – рад

шу́тка – у́тка   матро́сы – о́сы

Эдик и Элина
Купили эскимо.
Ребятишек двое,
Эскимо – одно.

Эдик и Элина
Делили эскимо,
Но по́ровну никак
Не делится оно!

Эк-ска-ва́-тор роет яму. Тут пост-ро-ят дом. Дом будет высоким – сем-над-цать этажей.

Щ щ

ща   щу   ще   щё   щи

щу́-ка   ща-ве́ль   щип-цы́

ще-ка́   щёт-ка   у-го-ща́л

Приглашал карась леща:
– Заходил бы в гости.
Ты, дружище, отощал –
Чешуя да кости.

Накормил карась леща
Щедро, сытно, вкусно –
Червяка́ми угощал
И морской капустой.

Загадки.

Красная мышка
С белым хвостом
В норке сидит
Под зелёным листом.

Закопали в землю в мае
И сто дней не вынимали.
Стали осенью копать –
Не одну нашли, а пять.

Сдёрнули с Егорушки
Золотые пёрышки.
Заставил всех Егорушка
Плакать и без горюшка.

Какие ещё овощи ты знаешь?

Фф

фа   фо   фу   фы   фё   фе   фи

фа́-кел   флаж-ки́   гра-фи́н
фи́-кус   фут-бо́л   фо́-кус-ник

Как интересно в цирке! Кругом флажки, афиши, фонарики.

Фокусник превратил голубя в букет фиалок. Клоун играл в футбол с медведем. А жонглёр ловил на лету графин и факел.

 **ва**
фа

 **во**
фо

вы
фы

ву
фу

ве
фе

Уходили все из дома,
Оставался только Рома.
Загляни теперь в буфет –
Ни одной конфетки нет.

Фаина убирала вещи в шкаф. На эту
полку – сарафан и кофту. На эту полку –
футболку. А на эту полочку – шапку и
шарф.

Ь

брат – бра́тья   лист – ли́стья
стул – сту́лья   перо – пе́рья

Днём я полю грядку. Вечером я полью овощи.

В лесу мороз и вьюга. Ветер качает ветви деревьев. Кружатся хлопья снега. Холодно воробьям и синичкам.

Ъ

ел   е́хал   е́здил
съел   съе́хал   съе́здил

Съехал Женя на роликах с горки. А вверх въехать трудно. Очень подъём крутой.

Найди на рисунке съедобные грибы.

Котята.

Жили-были три котёнка: Огонёк, Уголёк и Снежок. Уголёк был чёрный-чёрный, как уголь. Огонёк был рыжего цвета, а Снежок – белый и пушистый, как снег. Котята умели быстро бегать, ловко прыгать, вот только лазить по деревьям они пока не научились. Снежок, Уголёк и Огонёк были весёлыми, дружными, смелыми. Они не боялись никого, кроме пса Буяна.

Злой Буян жил в соседнем дворе. Он подбегал к забору, рычал и лаял на котят. Котята понимали, что он их не достанет, но всё равно отбегали подальше.

Как-то раз хозяйка ушла, а калитку закрыть забыла. Котята в это время лежали на траве, любовались цветочками и грелись на солнце. Они не сразу заметили, как во двор вошёл Буян. Увидели его малыши, вскочили, а куда бежать – не знают. Дверь в дом заперта, окно высоко, на дерево не влезть... Что тут делать?

И умные котята сделали вот что. Снежок подбежал к двери в дом и остановился. Дверь белая и котёнок белый – его и не видно. Огонёк прижался к кирпичной стене. Не видно рыжего котёнка рядом с рыжей стеной. А Уголёк прыгнул в ведро с углём, которое стояло у крыльца. Разве его там заметишь?

Стоит злой Буян, вертит головой: не поймёт, где же котята? Только что тут были – и вдруг исчезли!

Тут вернулась хозяйка с покупками, прогнала чужую собаку со двора и позвала котят обедать. Жуют котята сосиски, своё приключение вспоминают и над Буяном посмеиваются.

Аа	Бб	Вв
Гг	Дд	Ее
Ёё	Жж	Зз
Ии	Йй	Кк
Лл	Мм	Нн
Оо	Пп	Рр
Сс	Тт	Уу
Фф	Хх	Цц
Чч	Шш	Щщ
ъ	ы	ь
Ээ	Юю	Яя